de Beestenbende

Een leeuw in de schuur

Nicole van Heeswijk

tekeningen
Mariëlla van de Beek

KLUITMAN

Serie De Beestenbende

De Beestenbende (AVI 6)

Poezen en plannetjes (AVI 6)

Varkentje op visite (AVI 6)

Een leeuw in de schuur (AVI 6)

NEDERLANDSE
KINDERJURY
2007

Boeken met dit vignet zijn op niveaubepaling
geregistreerd en gecontroleerd door
KPC Groep te 's-Hertogenbosch.

Nur 282, 287/LP020601
© Uitgeverij Kluitman Alkmaar B.V.
Omslagontwerp: Design Team Kluitman

Dit boek is gedrukt op chloorvrij gebleekt papier,
dat vervaardigd is van hout uit productiebossen.

www.kluitman.nl

Klavertje 1
AVI 1 na 4 maanden leesonderwijs
AVI 2 na 6 maanden leesonderwijs

Klavertje 2
AVI 3 na 9 maanden leesonderwijs
AVI 4 na 1 jaar leesonderwijs

Klavertje 3
AVI 5 na 18 maanden leesonderwijs
AVI 6

Klavertje 4
AVI 6 na 2 jaar leesonderwijs
AVI 7

Circus Fantastiko

Demi zit in de kamer achter de computer. Haar poes Seop ligt als een warme das om haar hals. „Ik ga een naam bedenken voor elk dier dat ik hebben wil," fluistert Demi in Seops oor.

Ze opent de map: *de Beestenbende*. Zo heet het dierenpension van Demi en haar vrienden Tibbe en Selien. Het pension ligt achter Demi's huis.

Demi typt:

Dier	Naam
konijn	Zwieper
ezel	Fluffie
paard	Bliksem
eekhoorn	Kn

Demi kijkt op. Ze hoort iemand op de voordeur kloppen. Ze doet open. Maar… dat is raar. Ze ziet niemand.

Tjak, tjak. Lekker puh, roept Demi's vogel.

Demi kijkt omhoog. Daar zit Spoekie op de dakgoot.

„Nee hè! Heb jij weer met je snavel tegen de deur geklopt? Ik trap er steeds in. Je bent een pestkop, Spoekie."

De vogel spreidt zijn vleugels en landt op Demi's hoofd.

Demi grijpt naar haar blonde krullen. „Gekkie! Mijn hoofd is geen landingsbaan."

Tjak, tjak, roept Spoekie weer.

Soms denken mensen dat Spoekie een zwarte papegaai is. Dat komt omdat hij een paar woorden kent. Maar Spoekie is een kauw. En een kauw kan ook leren praten.

Spoekie vliegt naar Bengel, die blaffend aan komt rennen. Als Bengel stilstaat, gaat Spoekie op zijn rug zitten. Dit kunstje heeft Spoekie van Demi geleerd. Kaas, roept Spoekie. Kaas. Lekkerrr.

Bengel likt over zijn neus. Hij heeft ook trek.

„Je bent een schat," zegt Demi. Ze kust Bengel op zijn kop.

Meteen krijgt ze een natte kus terug.

„Hou op," lacht Demi.

Kaas. Lekkerrr, roept Spoekie weer. Hij vliegt het huis binnen, en gaat naar de koelkast. Demi en Bengel rennen achter hem aan. Seop en Pepe komen er ook aan. Pepe is Demi's rode kat. Hij is een jonkie van Seop.

Demi pakt de kaas uit de koelkast. Ze snijdt er een paar stukjes af. De poezen eten uit haar

hand. Ook Bengel krijgt een stuk. Spoekie hipt op het aanrecht.

„Nu jij, Spoekie," zegt Demi. Ze neemt een stukje kaas tussen haar lippen.

Voorzichtig pikt Spoekie de kaas uit Demi's mond. Lekkerrr, zegt hij.

Demi hoort buiten fietsbellen rinkelen. Dat zijn vast Tibbe en Selien.

Ja hoor. Selien komt als eerste binnen. Spoekie gaat op haar schouder zitten en duikt onder haar rode haar. Kiekeboe, roept hij.

Selien straalt. Haar sproetjes dansen op haar neus. „Leuk! Spoekie kent een nieuw woord."

Tibbe heeft zijn hond Zwier meegenomen. Bengel stuift op Zwier af. Ze stoeien wild.

Tibbe ziet het amper. Hij poetst zijn bril met zijn shirt. „Ik weet iets leuks," zegt hij. „In de stad wordt een circus gebouwd. Zullen we erheen gaan?"

„Ja, gaaf!" roept Demi. „En dan nemen we de honden mee, goed?"

„Hm. Misschien gaan ze dan blaffen. En fokken ze de dieren van het circus op," zegt Tibbe.

„Alleen Pepe dan," probeert Demi. „In de mand op mijn fiets."

„Doe nou niet," zegt Selien. „Straks neemt een olifant Pepe nog op zijn slurf."

De ramen in huis trillen. Er dendert een vrachtwagen voorbij. Met grote letters staat op de zijkant: *Circus Fantastiko.*

„Zag je die auto!" roept Selien. „Misschien zitten er wel gorilla's in. Kom, we gaan er achteraan!"

Demi's ouders zijn niet thuis. Daarom schrijft Demi een briefje voor hen.

„Schiet nou op," dringt Selien aan.

Even later sjezen ze naar het circus.

Kiekeboe. Tjak, tjak, horen ze opeens achter zich. Het is Spoekie, die vrolijk meevliegt.

„Hij moet terug naar huis," vindt Tibbe.

„Ben je gek," lacht Demi. „Wat kan Spoekie nou fout doen?"

Spoekie is niet bang

Demi, Tibbe en Selien zijn op het terrein van het circus. Er lopen veel pony's.

„Hier zou ik wel willen wonen," roept Selien verrukt. „Dan reed ik de hele dag op een pony."

Spoekie vliegt een rondje boven de pony's. Tjak, tjak, roept hij.

De pony's vinden het getjak maar niks. Onrustig draven ze rond.

„Spoekie! Kom hier," roept Demi.

Gelukkig doet Spoekie wat ze zegt.

Selien heeft een kier in het doek van de grote tent ontdekt. Stiekem gluurt ze naar binnen. „Hé, kijk eens."

In de piste zwieren acrobaten door de lucht. Een clown loopt op een grote bal. Er is ook een jongen die salto's maakt. Dat doet hij zonder springplank. Hij zet zich gewoon af op de grond.

„Knap hoor," vindt Tibbe.

Al salto's makend komt de jongen hun kant op.

Demi, Tibbe en Selien duiken weg.

Maar de jongen heeft hen al gezien. Hij glipt
door de kier naar buiten. „Wat doen jullie hier?"

Demi, Selien en Tibbe staren de vreemde
jongen aan. Zijn lange zwarte haar draagt hij in
een staart. In zijn oor glinstert een oorbel.

Tibbe neemt het woord. „Wij zijn gek op
dieren en fan van het circus. Daarom zijn we
hier. Ik ben Tibbe. En dat zijn Selien en Demi."

„Ik ben ook fan van het circus," lacht de
jongen. „Ik ben hier geboren."

Demi is meteen jaloers. „Wauw... Ik wou dat ik jou was."

„Jij lijkt anders ook wel een circuskind. Met die vogel op je schouder," vindt de jongen.

Demi bloost.

„Ik weet iets," zegt de jongen. „Zal ik jullie het circus laten zien?"

„Ja, gaaf!" zegt Tibbe.

Om de tien stappen maakt de jongen een salto. „Woppa," roept hij steeds. „Woppa. Woppa."

„Hij is een beetje een showbal, hè," fluistert Selien in Demi's oor.

„Ja, wat een uitslover," giechelt Demi. „Maar hij is wel leuk."

„Hoe heet je?" vraagt Selien.

„Sammie Salto." Sammie vertelt van alles over het circus. Hij laat hen de woonwagens en de dieren zien. „En nu gaan we naar onze leeuw, Diablo."

Demi, Tibbe en Selien blijven op een afstand van de kooi staan.

„Wat een mooie manen," zegt Selien.

„Een leeuw wordt niet met manen geboren,"
vertelt Sammie. „Hij krijgt ze pas als hij drie jaar
is. En een leeuw kan wel 250 kilo wegen!"

„Kei veel," vindt Tibbe.

Spoekie heeft genoeg van het zitten op Demi's
schouder. Hij vliegt naar Diablo's kooi. Tussen de
tralies door piept hij de kooi in. Oei… Hij vliegt
zomaar naar de leeuw.

„Spoekie!" roept Selien.

Diablo geeuwt. Hij brult en spert zijn muil wijd
open. Spoekie scheert vlak langs zijn grote gele
tanden.

„Spoekie, hier!" schreeuwt Demi.

Maar Spoekie luistert niet. Hij gaat op de rug
van de leeuw zitten. Net zoals hij bij Bengel
altijd doet.

Selien is heel bang. „Kom hier, Spoekie. Straks
eet hij je op!"

Tjak, tjak. Lekkerrr, roept Spoekie.

Diablo draait zijn kop. Hij kijkt Spoekie recht in
de ogen.

Demi's knieën knikken. „Neee!"

„Rustig maar," zegt Sammie. „Diablo is heel lief."

Slimme Tibbe heeft een idee. Hij haalt een propje uit zijn zak. Hij laat het aan Spoekie zien. „Kijk Spoekie. Kaas!"

Lekkerrr. Spoekie vliegt naar Tibbes hand en

pikt in het propje. Meteen merkt hij dat het nepkaas is. Hij wil terugvliegen naar Diablo. Maar Tibbe grist hem net op tijd uit de lucht.

„Stoute Spoekie," foetert Selien. Maar samen met Demi kust ze Spoekie wel honderd keer.

Diablo staat op. Hij duwt zijn neus tegen de tralies van de kooi. Met lieve ogen kijkt hij Spoekie aan.

„Ik denk dat Diablo vriendjes wil worden met Spoekie," lacht Sammie. „Dat zou gaaf zijn."

„Ja," fluistert Demi. Maar in haar stem klinkt twijfel.

Tibbe ziet verderop een kooi staan met wel drie leeuwen. Ze spelen samen. „Waarom zit Diablo hier alleen?" vraagt Tibbe.

De glans in Sammies ogen verdwijnt. „Diablo heeft iets ergs. Hij is doof. Hij hoort geen bevelen. Daarom kan hij niet meer optreden."

„Arme Diablo," zegt Selien. „Is hij soms al oud?"

„Juist jong," zegt Sammie triest. Hij aait de leeuw over zijn kop. „Als Diablo snel wordt

15

geopereerd, gaat hij misschien weer horen.
Anders blijft hij voor altijd doof."

„Laat dat dan maar gauw doen," zegt Demi.
Ze klinkt alsof ze direct 112 wil bellen.

„Er is een probleem," zegt Sammie. „Na de
operatie moet Diablo rust houden. Dat kan bij
ons niet. Na elk optreden trekken wij verder. Dat

is veel te druk voor Diablo. Maar als we dat niet doen, verdienen we geen geld."

Tibbe denkt hardop na. „Is er geen plaats in een dierentuin?"

Sammie schudt zijn hoofd. „We hebben alle dierentuinen gebeld. Pas over een maand is er plaats. Dan is het misschien te laat. En blijft Diablo voor altijd doof. Dan heeft het circus niets meer aan hem. De directeur vindt dat hij dan weg moet."

„Waarheen?" vraagt Selien.

Sammie kijkt verdrietig. „Weet ik niet. Maar ik moet er niet aan denken. Ik kan Diablo echt niet missen."

„Er moet toch een oplossing zijn," vindt Demi. Er verschijnt een denkrimpel in haar voorhoofd. Dan trekt ze Sammie aan zijn mouw. „Laat Diablo maar gauw opereren. Wij weten wel een rustplek voor hem."

Tibbe en Selien kijken Demi verbaasd aan. Wat is ze van plan?

Dat is schrikken!

Demi, Tibbe en Selien hebben afscheid genomen van Sammie Salto. Ze fietsen naar Demi's huis. Spoekie vliegt achter hen aan.

Demi trapt snoeihard. „Ik heb een super plan," hijgt ze.

Met moeite halen Selien en Tibbe Demi in.

Tibbe klinkt bezorgd. „Je wilt Diablo toch niet in de schuur van de Beestenbende gaan verzorgen?"

„Daar kun je echt geen leeuw houden, hoor," vindt Selien.

„Heus wel! En ik ga mijn ouders vragen of het mag. Helpen jullie?"

Selien legt haar hand op Demi's arm. Zo fietsen ze verder.

Ze rijden het pad op naar Demi's huis. Bengel en Zwier komen aanhollen. Demi's ouders zitten in de tuin.

„Hoe was het circus?" vraagt Demi's moeder.

Ze wijst naar de zak drop op tafel. „Pak maar."

Selien en Tibbe stoppen een dropje in hun mond. Demi hoeft niks.

„Wat heb jij?" vraagt Demi's vader. „Anders ben je zo'n snoepkont."

Demi kijkt ernstig. „We moeten iets vragen."

„O boy... Je wil hier toch geen circus beginnen, hè?" lacht haar vader. „Het antwoord is nee."

Demi pakt Pepe op schoot. „Nee. Het is iets anders."

Spoekie zit half onder Seliens haren. Bengel en Zwier laten zich door Tibbe aaien.

„Jullie vinden toch dat je mensen moet helpen?" begint Demi.

Demi's vader knikt. „Maar jullie helpen meestal dieren."

„Nu gaat het ook om een mens. Hij heet Sammie Salto. Hij is van het circus. Hij heeft een probleem met zijn liefste dier, Diablo. O mam... Diablootje is zo lief. Spoekie en hij zijn al vriendjes."

„Leuk," zegt Demi's moeder.

„Maar Diablo is doof," gaat Selien verder. „Dus kan hij niet optreden. Als hij snel wordt geopereerd, wordt hij weer beter. Anders blijft hij voor altijd doof. Dan kan Diablo nooit meer kunstjes doen. De directeur van het circus wil hem dan wegdoen. Dat is zo erg."

Demi's moeder pakt een dropje. „Is er geen geld voor een operatie?"

„Dat wel. Maar Diablo moet daarna rust houden," legt Tibbe uit. „Dat kan niet in een circus. Dat reist steeds verder."

„Daarom willen wij na de operatie voor Diablo zorgen," gooit Demi eruit. „Spoekie zou het ook super vinden." Ze kijkt haar vader smekend aan. „Diablo kan toch best in de schuur?"

„Ja hoor," geeft Demi's vader toe. „Maar zoveel plaats heb je toch niet nodig voor een vogel. Hij kan ook buiten. In de kooi van Spoekie."

„Pap..." Demi aarzelt. „Diablo is geen vogel."

„O? Maar hij is al vriendjes met Spoekie, zei je net."

„Diablo is een leeuw," zegt Selien zacht.

Demi's vader kijkt verbaasd. „Een meeuw? Dat is ook een vogel. Dat weet je toch, Selien!"

Tibbe houdt het niet meer. „Diablo is een leeuw," roept hij.

Van schrik verslikt Demi's moeder zich in haar drop. Ze loopt rood aan.

De mond van Demi's vaders valt open. „Een leeuw?!"

Wachten op antwoord

Demi, Tibbe en Selien slenteren in de tuin bij
Demi's huis. Het is een paar dagen geleden dat
ze aan Demi's ouders vroegen of Diablo mocht
komen. Dat mocht natuurlijk niet. Maar Demi,
Tibbe en Selien gaven niet op. Ze bleven maar
zeuren. Demi's ouders zagen steeds meer in hoe
zielig de leeuw is.

Ze zeiden: „We willen meer weten. We gaan
met de directeur van het circus praten. Maar
luister goed: er komt hier geen leeuw."

Tibbe kijkt op zijn horloge. „Ze zijn al een uur
weg. Ik word gek van het wachten."

„Ik heb geen nagels meer over," mompelt
Selien, die op haar nagels bijt.

Tibbe gooit voor Bengel en Zwier een stok
weg. „Stom hè, dat we er niet bij mogen zijn."

Demi is het met hem eens. „Mijn ouders
waren bang dat we ons er te veel mee zouden
bemoeien. Echt flauw!"

Eindelijk komen Demi's ouders aanrijden.

Maar… Wat is dat…? Achter hun auto rijdt een circuswagen het pad op naar Demi's huis.

De deur van de wagen zwaait open. Daar is Sammie Salto. Hij aait de honden, die hem vrolijk begroeten.

Demi, Tibbe en Selien zijn niet te houden. „Vertel, vertel. Wat…? Waarom…?"

„Je ouders hebben met de directeur gepraat. Ze hebben naar dierentuinen in Duitsland en België gebeld. Maar nergens is plaats voor Diablo. En… Je gelooft het niet... Nu mag hij na de operatie toch hier logeren. Goed hè! In de wagen staat Diablo's kooi. Die bouwen we straks al op."

De drie van de Beestenbende kijken nog gelukkiger dan honderd klavertjes vier bij elkaar.

„Wanneer wordt hij geopereerd?" vraagt Demi.

„Al heel snel."

Uit de circuswagen springt een grote man.

„Dat is Olaf, de leeuwentemmer," vertelt Sammie.

Olaf geeft de kinderen een hand.

Selien ziet een tatoeage van een leeuw op Olafs arm. „Jij bent echt gek op leeuwen."

Olaf lacht. „Vooral op Diablo. Ik ben zo blij dat hij hier mag komen!"

Demi's vader komt eraan. „Ik help je zo met de kooi," zegt hij tegen Olaf. Tegen Demi, Tibbe en Selien zegt hij streng: „Voordat Diablo komt, spreken we een paar regels af. De eerste regel is: kom nooit dicht bij de kooi. En de tweede:

steek nooit je hand door de tralies. Ook niet als Diablo lief kijkt. Ik heb de leeuw gezien. Hij lijkt heel aardig. Maar denk erom: hij is en blijft een roofdier."

Demi omhelst haar vader. Ook al geeft hij duizend regels op... Vandaag is hij om te zoenen. Diablo mag blijven. „Yes!"

Diablo komt

Demi strooit voer in de kom van haar vissen,
Oepie en Doepie. Selien en Tibbe staren in de
kom.

Vandaag wordt Diablo geopereerd. En dan
komt hij naar de Beestenbende.

Selien is de eerste die de circuswagen het pad
op hoort rijden. „Dat is vast Diablo. Kom!"

Ze rennen naar buiten.

Demi, Tibbe en Selien schrikken als ze de
leeuw zien. Hij zit in elkaar gedoken in de kooi
op de circuswagen. Om zijn kop zit een groot
verband.

Demi grijpt de tralies vast. „Arme Diablo. Heb
je pijn?"

„Ben jij gek!" roept Olaf. Snel trekt hij Demi's
handen los. „Zul je nooit meer naar de tralies
grijpen? Nooit meer? Anders neem ik Diablo
meteen mee terug, hoor. Diablo is een leeuw.
Een roofdier. Vergeet dat nooit!" Olaf klimt de
kooi van Diablo in. „Alleen Sammie en ik

mogen dicht bij hem komen."

Demi knikt.

„Ik vind dat verband stom," zegt Selien.

Tibbe weet wel waarom Diablo verband om heeft. „Als de wonden in Diablo's oren beter worden, gaat het jeuken. Dan wil hij gaan krabben. Maar dat is niet goed, want dan krabt hij zijn oren kapot."

Olaf doet Diablo een riem om. De leeuw is nog suf van de verdoving. Hij wankelt op zijn poten.

„Gaan jullie even uit de weg?" vraagt Olaf. „Ik zet de wagen vlak bij de schuur. Dan hoeft Diablo niet zo ver te lopen. Laat mij maar even alleen met hem. Dat is beter."

Demi wil liever blijven kijken. Maar Selien trekt haar mee. „Kom. We gaan met Sammie binnen wat drinken."

Sammie verbaast zich over het grote huis van Demi. „Ik wou dat onze woonwagen zo groot was!" Voor iemand iets kan zeggen, staat

Sammie op de leuning van de bank. „Woppa,"
roept hij en maakt een salto.

Demi, Tibbe en Selien kijken toe met open
mond. Pepe springt van de bank.

„Zal ik het jullie ook leren?" vraagt Sammie.

„Echt niet," zegt Selien. „Je mag niet op de
bank staan."

„Als mam het maar niet ziet," grinnikt Demi.

Ze hebben hun sap amper op of Olaf staat al bij de deur. „Kom maar. De kust is veilig."

Spoekie glipt meteen naar buiten. Demi, Tibbe en Selien rennen naar de schuur. Bengel rent ook mee. Maar hij mag de schuur niet in. Olaf klapt de deur voor zijn neus dicht.

Bezorgd kijken Demi, Tibbe en Selien in de kooi. Diablo ligt languit op de grond. Hij snurkt zachtjes. Spoekie zit al boven op hem. Met zijn kleine kraaloogjes kijkt hij deftig rond.

„Spoekie! Niet doen," sist Demi.

„Laat hem maar," zegt Sammie. „Die twee hebben gewoon iets met elkaar. Als Diablo wild doet, vliegt Spoekie heus wel op tijd weg."

Zacht tikt Spoekie met zijn snavel tegen het verband. Even opent de leeuw zijn ogen. Hij zwiept met zijn staart.

Dan opeens vliegt de schuurdeur open. Bengel stuift binnen. Als hij de leeuw ziet, blaft en gromt hij. Verstoord tilt Diablo zijn kop op.

Olaf wordt voor de tweede keer boos die middag. „Jullie moeten verdorie wel goed op

jullie andere dieren letten. Als Bengel zijn poot
door de tralies steekt... En Diablo hapt er naar,
dan… Je hebt geluk dat Diablo nu te moe is om
op te staan."

Met veel moeite jaagt Tibbe Bengel de schuur
uit.

Demi kijkt sip. „Bengel heeft vast met zijn
poot de klink van de deur omlaag gedaan. Dat
doet hij soms ook in huis."

Olaf kijkt Demi strak aan.

„Pap zet de klink wel omhoog," stelt Demi voor. „Dan krijgt Bengel de deur niet meer open."

„Het raam in het dak doen we ook dicht," zegt Selien. „Anders kunnen de poezen naar binnen."

Olaf kijkt bezorgd. „Als dit maar goed afloopt." Met krijt tekent hij op de vloer tot hoever ze bij de kooi mogen komen.

Olaf en Sammie hebben nog veel uit te leggen over Diablo. Want morgen vertrekt het circus naar een andere stad. Ver weg!

Diablo krijgt eten

Een week later voelt Diablo zich een stuk beter.
Hij brult weer als een koning in zijn kooi. Maar
in de kooi ligt ook... een grote drol.

Demi steekt een schop tussen de tralies door,
onder de drol. Ze zorgt wel dat ze achter de
krijtstreep blijft. Demi trekt de schop naar zich
toe.

In de kooi blijft een bruine plek achter. Met

32

een tuinslang spuit Tibbe de plek schoon. Dat is vette pret voor Diablo. Met zijn poot gaat hij door de waterstraal.

Tibbe spuit ook water in Diablo's drinkbak. Dan ziet hij dat het hangslot van de kooi roestig is. „Hmmm. Is dat slot wel sterk genoeg?" vraagt hij zich hardop af.

Demi en Selien horen hem niet. Ze zijn druk bezig de drol in een zak te scheppen.

Selien houdt de zak open. Ze trekt haar neus op. „Getver... Wat een vieze smurrie!"

Diablo klauwt met zijn poten om zijn oren heen.

Selien vindt dat zielig. „Ach, hij heeft jeuk. Zullen we hem iets lekkers geven? Dat leidt hem wat af."

Demi wijst naar een andere zak op de grond. „Daar zit z'n eten in."

Selien maakt de zak met vlees en botten open. Ze pakt een bot en gooit het in de kooi.

Diablo stormt er op af en scheurt het vlees van het bot.

„Echt een roofdier," lacht Tibbe.

Bengel staat achter de deur te blaffen. Hij kan niet meer zelf naar binnen komen. Daar heeft Demi's vader voor gezorgd.

„Je ruikt zeker vlees," roept Demi naar Bengel. „Wacht maar. Jij krijgt zo ook iets lekkers."

„Het vlees is op, hoor," zegt Selien. „We moeten weer naar de slager."

„Zo meteen, oké? Eerst even iets uitproberen," zegt Tibbe. Met de schop loopt hij naar de achterkant van de kooi. Daar laat hij de schop op de grond vallen.

„Wat doe je nou?" vraagt Selien.

„Ik wilde kijken of Diablo zou schrikken. Dat zou betekenen dat hij weer kan horen."

Demi kijkt sip. „Niet dus. Diablo keek niet op of om."

Een half uur later zijn Demi, Tibbe en Selien bij slager Jans. Ze vragen om vlees voor Diablo.

„Iedereen in mijn winkel praat over Diablo," vertelt de slager. „Dapper hoor, dat jullie voor een leeuw zorgen." Hij geeft een zak met vlees. „Wens hem maar smakelijk eten van me." Hij geeft ze alle drie nog een plak worst. „Alsjeblieft, voor jullie."

Knabbelend op de worst fietsen ze naar Tibbes huis. Ze halen eerst Zwier op, voordat ze naar Demi's huis gaan. Dan kan Zwier straks met Bengel spelen.

Vrolijk rent Zwier naast Tibbes fiets.

Als ze bijna bij Demi's huis zijn, ziet Selien als

eerste dat er iets niet klopt. „De deur van de schuur staat open," roept ze.

Demi gooit haar fiets neer. „Hoe kan dat nou? Bengel krijgt de klink niet omlaag. En verder is er niemand. Toch?"

Demi, Tibbe en Selien stuiven de schuur in. Ze zien dat de deur van Diablo's kooi openstaat. Diablo is weg. Het slot is kapot.

„Dat stomme slot ook!" schreeuwt Tibbe. „Ik zag al dat het roestig was. Als ik had geweten dat het zo slecht was…"

Bengel staat jankend bij de deur. Hij is ergens van geschrokken. Vast van Diablo, die losbrak.

Selien troost de trillende Bengel. Zelf trilt ze ook.

Wanhopig rent Demi naar buiten. „Wat nu?"

„Ik ben b…bang," stottert Selien. „Stel je voor dat Di… Diablo straks komt aanrennen! En dat hij ons pakt."

Groot gevaar!

Demi, Tibbe en Selien hebben zich opgesloten in huis. Alle dieren zijn binnen. Alleen Spoekie is foetsie. Seop ligt op de tv. Zwier en Pepe liggen op de bank, dicht tegen Bengel aan. Langzaam komt Bengel tot rust.

Demi aait Bengel. Het stormt in haar hoofd. Waar is Diablo? Stel je voor dat hij zomaar de weg oversteekt. En dat een auto hem aanrijdt. Of stel dat Diablo mensen ziet. En dat hij ze aanvalt. Of doet hij dat niet? Diablo is toch lief? Maar hij is ook een roofdier…

Tibbe graait de telefoon van tafel. „Ik bel je ouders, Demi. Wat is het nummer van hun mobiel?"

Selien wijst naar het raam. „D…daar is Diablo."

Demi en Tibbe zien de leeuw nu ook. Hij loopt rond het huis van buurvrouw Aggie. En de achterdeur van het huis staat open!

„Als hij maar niet naar binnen gaat," roept Selien in paniek.

„O, eh…" Tibbe heeft Demi's vader aan de lijn gekregen. „Er is iets heel ergs gebeurd," vertelt hij. „Diablo is ontsnapt. Hij loopt bij Aggies huis. En… Hé, Spoekie is bij Diablo! Nee… Spoekie vliegt het huis binnen. En… O nee! Diablo gaat Spoekie achterna."

Demi grist de telefoon uit Tibbes hand. Ze praat gejaagd. „Wat doen we nou, pap? Ja, alle deuren zijn dicht. En de dieren zijn binnen… Wat zeg je? Ja, we bellen Aggie meteen. Ik hoop dat ze boven is. Want anders… Ja, we blijven echt binnen. Oké, jullie bellen de politie. En wij Aggie. Nu!"

Tibbe zoekt het nummer van Aggie. Hij toetst het in.

Aggie neemt meteen op. „Hééélp! Jullie leeuw is in mijn huis. Hij wil me aanvallen."

„Waar bent u?" vraagt Tibbe.

„Ik… ik… kon me net op tijd in de kamer opsluiten. De… de leeuw is in de keuken. Hij krabt aan de deur. Ik ben bang… "

„Luister. Demi's moeder belt de politie.

U wordt zo gered."

Demi en Selien luisteren aan de hoorn mee. Ze horen Aggie snikken. Ook horen ze Diablo brullen en Spoekie tjakken. Aggie barst nu in huilen uit. Ze laat de telefoon vallen. Het contact is verbroken.

Er komt een kleine auto bij de buren.

„Wie is dat?" vraagt Selien.

Er stapt een vrouw uit met bruin haar.

„Dat is Rosa," roept Demi. „Aggies zus. Ze mag het huis niet in." Demi bonst hard tegen het raam.

Rosa hoort het lawaai. Ze kijkt op en zwaait. Selien gebaart dat ze moet komen. Maar Rosa zwaait vrolijk terug.

Selien krijgt rode vlekken in haar nek van de zenuwen. „Ze begrijpt ons niet. We moeten haar roepen."

Demi heeft haar ouders beloofd alles dicht te houden. Toch opent ze het raam. „Hier komen, Rosa. Schiet op. Rennen. Er zit een leeuw in huis."

41

Rosa lacht. „Ja ja. Ik heb nu geen tijd voor grappen."

„Kom hier," roept Selien. „Anders pakt de leeuw je."

„Ja, doei," lacht Rosa. Ze loopt door.

Demi, Tibbe en Selien schreeuwen zich schor als Rosa Aggies huis in loopt.

Een tel later is Rosa al terug. In paniek snelt ze naar de kinderen. Ze struikelt. Haar tas slingert door de lucht.

Tibbe gooit het raam verder open. Selien kwakt de planten van de vensterbank. Demi pakt Rosa's handen en sleurt haar naar binnen. Ze vallen op de grond. Bengel en Zwier stormen op de vreemde gast af.

Rosa staart de drie aan met ogen als poffertjes. „Ik zag een l…leeuw? Is h…hij me gevolgd?"

Paniek!

Demi staat voor het raam, met de telefoon aan haar oor. Diablo en Spoekie zijn nog steeds in Aggies huis. Demi spreekt haar moeder al voor de derde keer. Ze heeft net verteld hoe ze Rosa hebben gered.

Demi ziet een politiewagen. „Hé mam, de politie is er. De auto van de dierenarts komt er ook aan, zie ik. Wat zeg je? … O, zijn jullie zo thuis. Pjoew, gelukkig maar."

Demi's ziet de agenten om Aggies huis sluipen. „Er zijn wel vier agenten, mam. Agent Willem is er ook. Nu stapt de dierenarts uit zijn auto, met een… Nee! Mam… Hij heeft een geweer. Hij gaat toch niet… Hij mag Diablo niet doodmaken. Mam…" Demi laat de telefoon uit haar hand glijden.

Tibbe bonst tegen het raam. „Niet doen… Niet Diablo doodmaken!"

Selien knalt het raam open. „Niet schieten. Diablo is lief."

Agent Willem zet zijn handen aan zijn mond.
„Dat raam dicht. Nu!"

„Ja, maar…" Twee dikke tranen rollen over
Seliens wangen. Demi houdt het ook niet
droog. Tibbe duwt Selien opzij. Hij sluit het
raam.

De angst is van Demi's gezicht af te lezen.
„We moeten de dierenarts stoppen."

„We kunnen hem mobiel bellen," zegt Selien.
Ze zoekt het nummer en belt. Nerveus kijken ze
alle drie naar buiten of de dierenarts opneemt.

„Hij neemt niet op," schreeuwt Selien. „Zijn
mobiel ligt vast nog in de auto."

Tibbe bonst weer tegen het raam. Maar de
dierenarts sluipt Aggies huis al binnen. Hij heeft
zijn geweer in de aanslag. Agent Willem volgt
hem. Hij was net aan het bellen. Nu stopt hij
zijn mobiel weer in zijn zak.

„Zal ik Willem bellen?" stelt Selien voor.

Dan ineens staan Demi's ouders in de kamer.
Ze zijn door de achterdeur binnengekomen.

Demi stort zich in haar moeders armen.

„Mam! Ze gaan Diablo doodschieten."

„Nee hoor. Hij blijft leven," zegt Demi's vader snel. „We hadden Willem net aan de telefoon. Hij zei dat Diablo een verdoving krijgt. Daarom is de dierenarts er. Uit het geweer komt geen kogel, maar een middel om de leeuw te verdoven."

„Net als bij de operatie?" vraagt Selien.

Demi's vader trekt Selien aan haar haar. „Heel goed."

Ze gaan voor het raam staan en wachten op wat gebeuren gaat.

Dan komt Willem Aggies huis uit. En daar is Aggie. Ze ziet lijkbleek. Van schrik kan ze amper lopen. Willem slaat een arm om haar heen.

Rosa rent al naar de deur om haar zus te omarmen. „O Aggie. Je leeft!"

Agent Willem kijkt heel bezorgd naar de drie kinderen. „De leeuw slaapt," zegt hij.

„En Spoekie?" vraagt Tibbe.

„Die vogel? Heel gek... Die zit boven op de leeuw. Hij maakt rare geluiden." Willem zucht.

46

„Hoe kon dit nou gebeuren? Ik weet dat jullie een tijdje voor een leeuw zorgen, maar…"

„Straks vertellen we alles," zegt Demi.
„Mogen we nu eerst naar Diablo en Spoekie?"

Willem wrijft over zijn snor. „Hmmm. Mijn eerste zorg is: hoe krijgen we die leeuw weer in zijn kooi? En zo snel mogelijk."

Demi's vader denkt na. „Ik heb een heftruck. Daarmee kunnen we hem omhoog tillen. En hem hier naartoe rijden."

„Oké. Ik ga gauw terug naar Aggies huis. Daar wacht ik op je."

„Please… Mogen we mee?" vraagt Demi aan Willem.

„Schiet maar op. Maar niet in de weg lopen."

Demi's moeder loopt naar de keuken. „Ik ga koffie zetten voor Aggie en Rosa. Letten jullie goed op?"

Een bonte stoet

Diablo ligt op de grond in Aggies keuken. Demi, Tibbe en Selien lopen langzaam naar hem toe. Hij slaapt nog een uur, heeft Willem gezegd. Daarna is de verdoving uitgewerkt.

Tjak, tjak, roept Spoekie hees. Hij kroelt met zijn snavel in Diablo's vacht.

„Niet verdrietig zijn, Spoekie," zegt Tibbe. „Diablo is niet dood, hoor."

Bengel en Zwier zijn stiekem ook komen kijken. Ze voelen dat er iets niet pluis is. Stil gaan ze naast de leeuw liggen.

De agenten kijken toe.

„Wat zijn de dieren lief voor hem," mompelt een van hen.

Demi streelt Diablo. Haar stem klinkt onzeker. „Hij ligt zo stil. Hij lijkt wel d… eh… dinges."

Tibbe pakt Demi's hand en die van Selien. Hij leidt hun handen naar Diablo's borst. „Hier kun je zijn hart voelen."

„Heel bijzonder, hoor," zegt Willem. „Er zijn

niet veel mensen die het hart van een leeuw hebben gevoeld."

Daar is Demi's vader. Hij rijdt de vorken van de heftruck tot in de keuken. „Jemig," zegt hij als hij de leeuw ziet. „Is dit echt niet gevaarlijk? Waar is de dierenarts?"

„Die moest met spoed weg," legt Willem uit. „Laten we opschieten. Stel je voor dat de leeuw eerder wakker wordt…"

Demi's vader heeft een plank bij zich. „Kom op. We schuiven Diablo op de plank."

Spoekie is niet weg te slaan bij Diablo. Ook niet als de plank met de leeuw op de heftruck

wordt getild. De drie van de Beestenbende en
de honden kijken toe.

Demi's vader gaat achter het stuur zitten.
Demi, Tibbe en Selien mogen ook op de
heftruck. Seop en Pepe springen op het dak.
Bengel en Zwier lopen ernaast. De politiewagen,
met Willem, rijdt voorop. De andere agenten
zijn al naar huis.

Daar gaat de optocht. Tjak, tjak, roept
Spoekie. Daarna maakt hij weer een raar geluid.
Op straat blijven mensen staan. Ze snappen

geen snars van wat ze zien.

De optocht is snel bij Demi's huis. Tibbe opent de grote schuurdeur. Nu kan de heftruck zo de schuur in rijden.

Willem rolt zijn mouwen op. „Kom op. Gauw die leeuw de kooi in. Ik ben nog steeds bang dat hij wakker wordt."

Demi's vader knikt. „Ik heb het er ook niet op." Tegen Demi, Tibbe en Selien zegt hij: „De schuur uit, jullie. En neem de honden mee."

Demi, Tibbe en Selien druipen af. Maar ze laten de deur op een kier staan. Ze gluren naar binnen om te zien wat er gebeurt.

De mannen schuiven Diablo van de plank. Ineens likt de leeuw over zijn neus. Demi's vader en Willem deinzen achteruit.

„Hij wordt wakker," roept Selien.

Willem raakt in paniek. „Kom, opschieten!"

Dan schiet Tibbe iets te binnen. „Het slot van de kooi is kapot. Er moet een nieuw slot op."

Demi's vader werpt een blik op het slot. „Het is gebroken! Dus zo kon Diablo ontsnappen…

Demi, ga naar de schuur hiernaast. In de blauwe kast liggen nieuwe sloten. Snel!"

Demi vliegt al. Als ze even later terugkomt, wordt de leeuw net in zijn kooi gelegd. Diablo zwiept met zijn staart. Hij gromt. De mannen schrikken zich rot. Ze maken dat ze wegkomen.

„Schiet op met dat slot," hijgt Demi's vader.

Willem pakt het slot van Demi aan. Die blijft braaf bij de deur staan. Willem knalt het slot om de deur van de kooi. Zweet druipt van zijn voorhoofd.

Er stopt een auto op de oprit. Het is de dierenarts. Haastig stapt hij binnen. „Mooi zo. Die leeuw is weer achter slot en grendel. Weten jullie al hoe hij los kon komen?"

„Het slot is gebroken," zegt Demi.

„Tjonge jonge," zegt de dierenarts. „Wat heeft iedereen geluk gehad. Ik kom Diablo's oren bekijken. Nu is hij nog suf. Dat komt goed uit."

„Let op, hoor," waarschuwt Selien. „Diablo

gromde net. En hij beweegt steeds."

De dierenarts loopt naar de kooi. „Hij wordt langzaam wakker. Maar geloof me. Hij is nog veel te suf om iets aan te richten. Maak de kooi maar open," zegt hij tegen Willem. „Dan bekijk ik zijn oren."

Iedereen kijkt gespannen toe. Spoekie is niet weg te slaan bij Diablo. Telkens als de leeuw beweegt, hipt Spoekie even op. Hij maakt weer dat rare bromgeluid.

De dierenarts frunnikt aan het verband. Dan gaat het los. Hij kijkt in Diablo's oren. Hij luistert ook naar zijn hart.

„Dat hebben wij ook gevoeld," zegt Demi trots.

De dierenarts is tevreden. „De oren zijn zo goed als genezen. De jeuk moet over zijn."

Met lodderige ogen kijkt Diablo om zich heen.

„Alles komt goed, Diablo," fluistert Demi.

„Kan hij nu weer horen?" vraagt Tibbe aan de dierenarts.

„Binnen een paar dagen moet hij kunnen

horen. Anders is de operatie mislukt."

Demi, Tibbe en Selien kijken elkaar bezorgd aan.

Blijft Diablo doof?

Het gaat al dagen goed met Diablo. Alleen hoort hij nog steeds niets.

Vandaag komen Sammie Salto en Olaf op bezoek. Ze hebben de leeuw al zo lang moeten missen.

Tibbe heeft de tuinslang gepakt. Hij laat Diablo met de waterstraal spelen. „Wat is hij weer vrolijk, hè."

Selien en Demi rollen van een afstand brokjes van Bengel onder de kooi door. Zonder te kauwen eet Diablo ze op.

„Hij is gewoon de leukste leeuw van de wereld," vindt Selien.

Ze horen een wagen het pad op rijden. Een moment later stappen Sammie en Olaf de schuur in.

Diablo herkent hen meteen. Brullend rent hij in zijn kooi heen en weer.

Olaf heeft vijf grote knuffels bij zich. „Drie leeuwen zijn voor jullie. Als dank voor het oppassen. De andere twee zijn voor Aggie en Rosa. Voor de schrik. Het is allemaal mijn schuld. Ik had dat slechte slot moeten zien."

Demi luistert niet naar Olaf. „Waarom bedank je ons voor het oppassen? We zijn toch nog niet klaar?"

„Toch wel," zegt Olaf. „De dierenarts belde vandaag. Diablo's oren zijn weer beter. Hij heeft geen rust meer nodig. Hij mag met ons mee."

Tibbe snapt het niet. „Diablo kan toch nog niet horen?"

„We hopen dat dat later komt," zegt Olaf.

„En anders?" vraagt Selien aan Sammie.

Sammie frunnikt wat aan zijn staart. „Dan moet Diablo weg. Voorgoed."

„Wij kunnen hem houden," meent Demi.

„Dat kan niet. Diablo is een keer ontsnapt, weet je nog. Het hele dorp is bang."

Demi, Tibbe en Selien hurken voor de krijtstreep. Bengel en Zwier zijn er ook bij. Ze hebben geleerd om Diablo met rust te laten.

Diablo brult naar Sammie en Olaf. Hij is

duidelijk in zijn sas.

Spoekie vliegt de kooi in. Brutaal gaat hij op Diablo's kop zitten.

„Wat die twee toch met elkaar hebben…" mompelt Olaf.

Spoekie maakt weer dat rare bromgeluid. Met moeite perst hij het geluid nu harder uit zijn keel. Het lijkt wel wat op het gebrul van een

leeuw. Iedereen staat op het punt Spoekie uit te lachen. Maar dan houdt iedereen zijn adem in.

Diablo staat ineens stokstijf. Het lijkt alsof hij is geschrokken. Weer maakt Spoekie het rare brulgeluid.

Verbaasd draait Diablo zijn ogen naar boven. Naar die gekke vogel op zijn kop.

„Zou hij Spoekie kunnen horen?" fluistert Demi.

Tibbe bedenkt een test. „Selien! Jij kunt hard op je vingers fluiten. Doe dat eens. Aan de andere kant van de kooi."

Selien rent om de kooi heen. Ze fluit keihard. Meteen draait Diablo zich om. Hij zwiept met zijn staart.

„Diablo, je hoort het!" juicht Sammie Salto. Van blijdschap maakt hij een paar salto's. „Woppa. Woppa!"

Olaf kan zich niet langer inhouden. Hij stapt de kooi in. „Even iets proberen."

Op bevel gaat Diablo naast Olaf zitten. Daarna gaat hij op zijn rug liggen.

„Hoog!" roept Olaf.

Meteen maakt de leeuw een sprong.

„Mijn Diablo kan echt weer horen," juicht
Olaf. Hij kroelt de leeuw alsof het zijn hond is.

Bengel en Zwier janken jaloers.

Olaf komt de kooi weer uit. „Neem maar
afscheid, jongens. Mijn kanjer mag snel weer
optreden." Olaf loopt naar de wagen. „Ik rijd
de wagen zo dicht mogelijk bij de schuurdeur.
Als jullie de schuur uit gaan, haal ik Diablo op."

Demi is blij voor Diablo. Maar niet voor
zichzelf. Ze stapt over de krijtstreep heen. „Ik
kan je niet missen, Diablo," pruilt ze. Haar hand
gaat naar de kooi. Ze wil ook met de leeuw
kroelen.

„Laat dat," roept Sammie Salto. „Olaf kent
Diablo al jaren. Jij niet. Niet doen dus!"

Nu kijkt Demi nog verdrietiger. Selien en Tibbe
staan er ook sip bij.

Sammie rent naar Olaf. Binnen een minuut is
hij weer terug. Zijn ogen glimmen, net als zijn
oorbel. „Ik heb een verrassing. Jullie mogen van

Olaf net zo vaak naar het circus komen als jullie willen. Het maakt niet uit waar in het land we zijn. En als we in de buurt zijn, mag Spoekie een keer met Diablo optreden."

Demi staat op. Ze geeft Sammie zomaar een zoen. „Mogen de poezen dan ook kunstjes doen? En Bengel en Zwier?"

Sammie schudt zijn hoofd. „Dat kan niet. Maar je mag wel de hele klas uitnodigen als Diablo met Spoekie optreedt."

Dat vinden Demi, Tibbe en Selien super.